Pour mes petites nièces Anaïs, Emma et Tessa.
D. G.

L'Unicef : les enfants d'abord !

Qu'ils s'appellent Talika, Akara ou Chukilla, qu'ils viennent de l'Inde, de l'Ouganda ou du Pérou,
tous les enfants naissent égaux en droits.
Pourtant, partout dans le monde, ils sont des millions à être privés de leur enfance : sans avoir le droit
d'aller à l'école, d'être soignés, de se reposer ou de jouer, ils ne peuvent pas grandir normalement.

Dans le monde, 218 millions d'enfants travaillent, principalement dans l'agriculture,
les mines et le tissage des tapis. Certains commencent très jeunes, dès l'âge de 5 ans.
Un grand nombre d'entre eux effectuent des tâches qui mettent en danger leur santé, lorsqu'ils
utilisent des produits toxiques, manient des machines dangereuses ou portent des charges très lourdes.
Le travail empêche ces enfants d'aller à l'école et compromet leur avenir. La première cause du travail
des enfants est la pauvreté : ils sont contraints de gagner l'argent nécessaire à la survie de leur famille.

D'autres enfants, comme Akara, vivent dans des pays en situation de conflit. Ils peuvent alors être
obligés de quitter leur village. Certains sont souvent même des victimes directes et restent
handicapés ou traumatisés. D'autres encore peuvent être forcés à devenir des enfants-soldats.

Alors, pour assurer aux enfants le droit d'être soignés, d'être protégés, d'aller à l'école... l'Unicef
intervient là où ils sont le plus menacés, dans plus de 150 pays. Grâce à la Convention internationale
relative aux droits de l'enfant, qui dit que tous les enfants du monde ont les mêmes droits, l'Unicef permet
à beaucoup d'entre eux de quitter leur travail, d'aller à l'école, de trouver un refuge en cas de conflit...

En France, les bénévoles de l'Unicef interviennent notamment dans les classes pour expliquer aux élèves
la façon dont les enfants vivent dans les pays les plus pauvres et pourquoi leurs droits ne sont pas respectés.
L'Unicef collecte également des fonds pour venir en aide à ces enfants.
C'est, pour l'Unicef, un moyen de créer une passerelle entre les enfants d'ici et les enfants d'ailleurs,
pour plus de solidarité !

Comme l'exprime la devise de l'Unicef, ensemble, nous pouvons faire avancer l'humanité :
pour chaque enfant, santé, éducation, égalité, protection.

Jacques Hintzy
Président Unicef France

Donald Grant

S.O.S. enfants du monde

GALLIMARD JEUNESSE

TALIKA

La fabrique de tapis

Dans l'Inde millénaire...

... se trouve un village très pauvre où habite une petite fille.

**Je m'appelle Talika. Je suis orpheline.
J'habite chez mon oncle.**

Tous les matins, je vais chercher de l'eau car il n'y en a pas dans la maison. C'est fatigant.

Toute la journée, je travaille à la fabrique de briques de terre cuite.
Ainsi je gagne un peu d'argent pour mon oncle et moi.

Et, le soir, je dois préparer à manger et tout nettoyer.

Mon rêve serait d'apprendre à lire et à écrire.

Un jour, un ami de mon oncle propose
de m'emmener étudier et travailler en ville.

À moi l'aventure ! Mais j'ai un peu peur.

Nous prenons le train bondé de monde...

... et nous arrivons en ville.

L'ami de mon oncle me présente à un monsieur que je ne connais pas.

— Maintenant, tu dois travailler chez moi pour payer les dettes de ton oncle !

Avec d'autres enfants comme moi, je travaille douze heures par jour.

La nourriture n'est pas bonne du tout.

Nous dormons à même le sol et je pleure toutes les nuits.

Un matin, à l'aube, la porte vole en éclats : un contrôle de police !

Tous les enfants s'enfuient dans la rue en courant.

Mais moi, j'en ai assez : je reste et je décide de tout leur raconter.

En apprenant notre histoire, une dame nous recueille et s'occupe de nous.

Nous sommes conduits dans un foyer où nous pourrons rester tous ensemble.

Après ces moments difficiles, nous allons pouvoir profiter de notre vraie vie d'enfants.

Et, enfin, mon rêve se réalise : j'apprends à lire et à écrire.

L'Inde est le pays le plus peuplé du monde après la Chine, avec plus de 900 millions d'habitants.

En Inde, beaucoup de femmes ornent leur visage d'un point de couleur entre les deux yeux. C'est le *bindis*, symbole de bonheur.

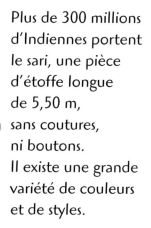

Plus de 300 millions d'Indiennes portent le sari, une pièce d'étoffe longue de 5,50 m, sans coutures, ni boutons. Il existe une grande variété de couleurs et de styles.

Le curry est le plat national. C'est un ragoût épicé de viande, de poisson ou de légumes.

Le four en terre cuite et la jarre tandoori servent à la préparation de la nourriture.

Les vaches sont sacrées pour les hindous, et libres de circuler, même dans les rues.

La plupart des villages n'ont ni eau courante ni électricité.

Les puits, parfois très éloignés, sont la seule source d'eau.

Depuis des siècles, en Inde, comme au Pakistan, les tapis sont fabriqués sur des métiers à tisser traditionnels. Les enfants sont souvent exploités car ils ont les doigts agiles et une bonne vue. Ils fournissent une main-d'œuvre bon marché. La pauvreté les force à travailler de dix à seize heures par jour dans des conditions pénibles qui affectent leur santé.

Certains fabricants garantissent par une étiquette qu'aucun enfant n'a été employé illégalement pour le tissage de leurs tapis.

La fabrication traditionnelle de briques de terre cuite emploie aussi beaucoup de main-d'œuvre enfantine.

Livrés à eux-mêmes, des enfants abandonnés cherchent de quoi survivre sur les décharges : matériaux à revendre, nourriture, etc. Ils souffrent de malnutrition, de faim, et d'abus en général.

Le nombre d'enfants de moins de 14 ans en Inde dépasse celui de la population des États-Unis. Le grand défi de l'Inde et des pays émergents est de veiller notamment à l'alimentation, à l'éducation et à la santé de leurs enfants. C'est pourquoi l'Unicef agit pour une meilleure nutrition des enfants, organise des campagnes de vaccination et d'enregistrement des naissances. En construisant par exemple des puits, l'Unicef permet aux enfants d'avoir accès à de l'eau potable et lutte ainsi contre de nombreuses maladies qui les touchent.

AKARA et NAOMI

Les fugitifs de la nuit

Il existe, en Afrique, près du lac Victoria, une région qui ressemble au paradis terrestre...

Dans notre village, nous vivons heureux.

Je m'appelle Akara et ma petite sœur, Naomi.

Chaque jour, nous aidons notre maman
au potager.

Maman nous prépare du *matoke*,
notre plat préféré.

J'adore fabriquer des jouets avec tout ce que je trouve.
On les appelle des *galimotos*!

Un jour, le chef du village nous réunit : des rebelles approchent,
et nous, les enfants, nous devrons aller dormir en ville.

Maman nous explique que les rebelles capturent les enfants pour en faire des soldats.
Nous avons très peur !

À la nuit, nous partons avec notre petit sac sur la route.
Des centaines d'enfants font comme nous.

Après trois heures de marche nous arrivons à la ville, et nous cherchons un coin éclairé.

Pour notre sécurité, nous devrons rester ensemble et sous la lumière.
Mais ce n'est pas très confortable !

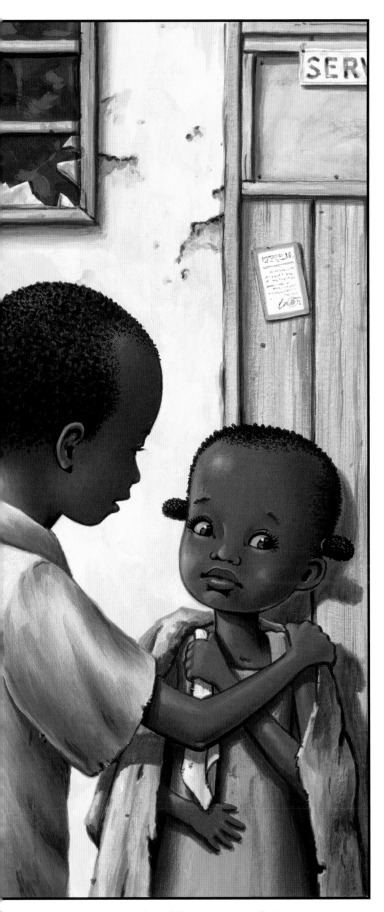

Le lendemain matin, Naomi se plaint
du froid et de la faim !

Nous retournons au village, le ventre vide,
comme tous les autres.

En arrivant, nous découvrons notre village complètement détruit, notre maison brûlée...

Le vieux chef nous rassure : les villageois ont été évacués.
Ils sont dans un camp de réfugiés.

Où est Maman ?

**Nous marchons encore toute la nuit et, au matin, voici le camp.
Comment allons-nous retrouver Maman dans tout ce monde ?**

**Soudain, nous apercevons
une silhouette familière...**

C'est Maman ! Nous sommes si heureux de nous retrouver tous ensemble.

Maintenant, nous sommes installés ici et j'apprends aux autres à faire des *galimotos*!

Le lac Victoria se trouve dans l'est de l'Afrique centrale.

Il y a de tout dans cette région, des montagnes magnifiques, des forêts luxuriantes, une biodiversité animale unique. Elle abrite des peuples fascinants aux coutumes très diverses.

Le *matoke* est un plat très populaire à base de bananes plantains bouillies.

À travers l'Afrique, les enfants fabriquent de merveilleux jouets avec des objets récupérés.

Les griots, ou conteurs, gardent et transmettent les histoires traditionnelles.

Quatre-vingts pour cent des habitants vivent dans des villages constitués de petites maisons de boue couvertes de chaume. Elles peuvent abriter douze personnes ou plus !

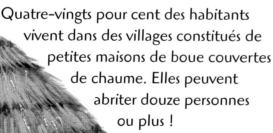

L'eau est recueillie dans des bidons en plastique et principalement par les enfants, le matin et le soir, ce qui les empêche souvent d'aller à l'école.

Les petits villages sont souvent pillés ou détruits, ce qui provoque l'exode des populations laissant tout derrière elles. Les agriculteurs abandonnent leurs terres qui sont leur unique source de revenus et de stabilité.

Dans le nord de l'Ouganda, par exemple, les enfants sont toujours les principales victimes de la guerre qui dure depuis dix-neuf ans. Vivant dans la peur constante d'être attrapés par les rebelles durant la nuit, jusqu'à 40 000 enfants quittent chaque soir leur famille et leur village.

Dans de nombreux conflits, les enfants, garçons et filles, sont enlevés, maltraités et forcés de se battre.

Connus sous le nom de fugitifs nocturnes, ces enfants marchent jusqu'à 12 km pour dormir dans la rue, espérant qu'en groupe ils seront plus en sécurité.

Ces régions sont truffées d'armes légères, mines antipersonnel et grenades : certaines ressemblent à des jouets d'enfants.

Heureusement des milliers d'enfants réussissent à s'enfuir. Ils arrivent dans les camps de réfugiés épuisés, malades et affamés.

Les enfants ont besoin de notre soutien pour pouvoir être accueillis dans les camps de réfugiés, et être guéris : l'Unicef apporte des produits de première nécessité (eau, couvertures, savon). Il veille à ce que les enfants soient soignés et aidés à surmonter leurs traumatismes. L'Unicef organise aussi du soutien scolaire. Lorsque les enfants ont été séparés de leurs parents, il recherche ces derniers et s'occupe du retour des enfants dans leur famille.

CHUKILLA

L'or des Andes

Dans les montagnes des Andes, en Amérique du Sud...

... se trouvent la plus haute mine d'or du monde et son camp de mineurs.

Je m'appelle Chukilla, «rayon d'or» en quechua, et je vis au camp avec mes parents.
J'adore jouer sur ma flûte de Pan.

Avant de quitter la vallée, mes parents
vendaient des fruits et des légumes en ville.

Ici, c'est vraiment très sale,
il n'y a ni eau courante ni égout.

Au camp, tout le monde rêve de trouver
de l'or et de devenir riche !

Papa m'a demandé de venir travailler
à la mine avec lui pour l'aider.

Au début, je broyais des pierres toute la journée.

Avec Maman, je triais les gravillons dans l'eau glacée pour extraire les paillettes d'or.

Devenu grand, j'ai porté de lourds sacs pour sortir les pierres de la mine.

Et puis, comme les hommes, j'ai fini par creuser au fond du tunnel.
Là-dessous, il y a peu d'air et peu de lumière. Le travail est dur et dangereux.

**Après le travail, nous sommes fatigués
et affamés. Maman nous prépare à dîner.**

**Je n'ai plus le temps d'aller à l'école,
mais, tous les soirs, je joue sur ma flûte.**

**Un matin, il y a un éboulement sur la route de la mine.
Avec les autres enfants, nous la dégageons.**

Un jour, au fond du puits, j'entends un grand craquement.

Le tunnel s'effondre sur moi !

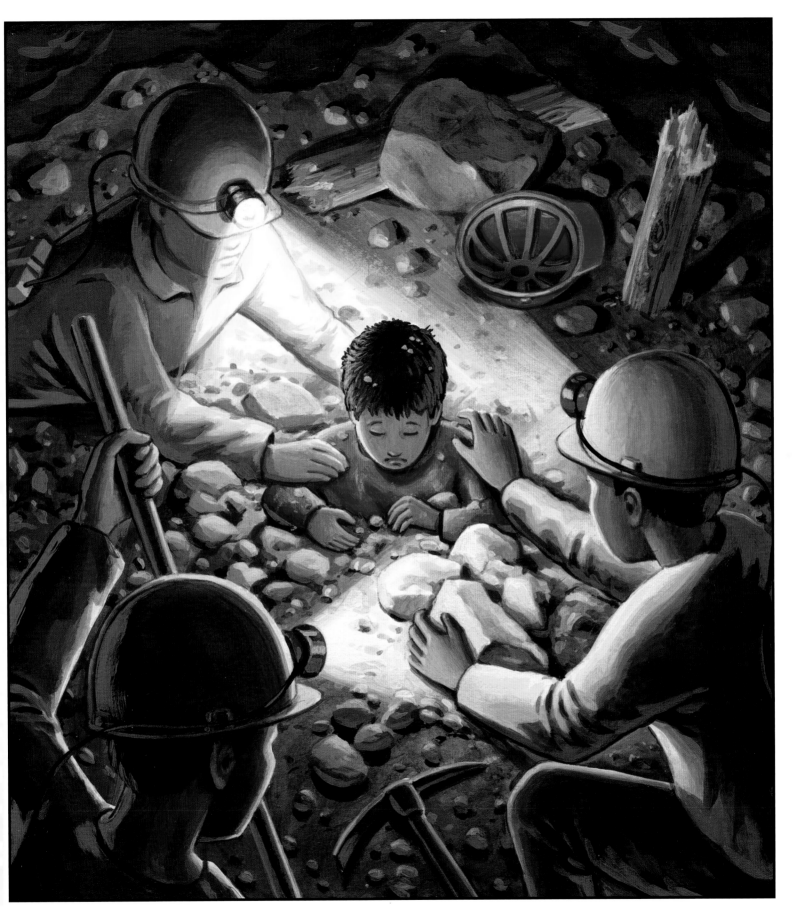

D'autres mineurs viennent vite à mon secours.

On me conduit d'urgence à la ville avec mes parents.

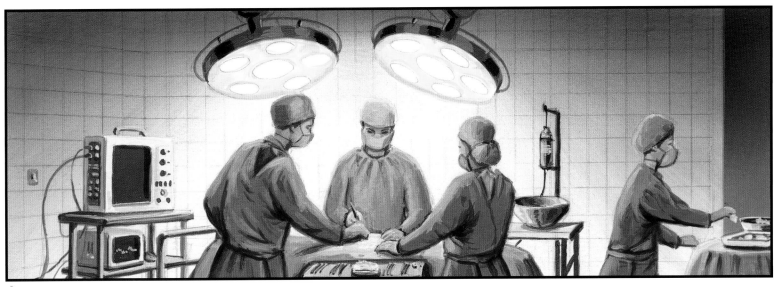

À l'hôpital, on m'opère tout de suite.

Mes parents viennent me voir et m'apportent ma flûte.

Mon voisin de chambre, Miguel, est guitariste.

Finalement, mes parents ont repris
leur ancien travail au marché.

Je suis retourné à l'école et j'ai rejoint le groupe de Miguel.
Nous avons beaucoup de succès !

**Les plus hautes mines d'or
de la cordillère des Andes
sont situées au Pérou
et en Bolivie.**

Les Quechua forment le plus
important groupe d'Indiens
au monde. Leur langue était
la langue officielle de l'Empire inca.
Les vêtements des Quechua
sont de couleurs vives.
Ils portent un *chullo* (bonnet)
et un poncho en laine de lama.

Les Andes sont les montagnes
les plus hautes du continent sud-américain
avec 6 769 m d'altitude au Pérou.
Elles atteignent 8 000 km
de longueur.

La pomme de terre et le maïs
sont cultivés depuis des milliers
d'années et font toujours partie
de l'alimentation d'aujourd'hui.

Les *totoru* sont des cabanes
en bois recouvertes de tôle
ondulée, très précaires.

La flûte de Pan,
ou *zampoña*,
très ancienne,
est constituée
de tuyaux de roseau
de tailles différentes.

La guitare espagnole
à douze cordes
est un instrument
très populaire.

Le *bombo leguero*,
grand tambour,
est très important
car il donne
le tempo.

Dans les petites exploitations de montagne, l'or, se trouvant dans de minces couches de roche, est difficile à extraire. Le travail, impossible à accomplir par des machines, ne peut être exécuté que par des hommes ou des enfants rampant dans l'obscurité.

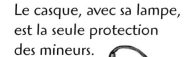

L'or est l'un des premiers métaux utilisés par l'homme. Sa beauté, sa malléabilité et sa rareté en font un matériau de grande valeur très convoité.

Comme les autres mineurs, les enfants travaillent avec des outils rudimentaires.

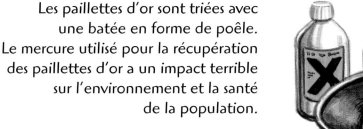

Le casque, avec sa lampe, est la seule protection des mineurs.

Les paillettes d'or sont triées avec une batée en forme de poêle. Le mercure utilisé pour la récupération des paillettes d'or a un impact terrible sur l'environnement et la santé de la population.

La dynamite est utilisée pour creuser les tunnels. Les accidents sont inévitables.

La plupart des enfants de moins de 5 ans, les plus vulnérables, souffrent de maladies et d'infections. L'altitude, le climat et l'environnement pollué en sont les principales causes. La pollution humaine, minérale et chimique, avec l'eau de pluie, prend la route des rivières et aboutit aussi dans le lac le plus haut du monde : le Titicaca.

Pour éliminer les pires formes du travail des enfants, l'Unicef soutient la scolarisation des enfants, et surtout celle des filles, par la construction d'écoles, la formation des enseignants et la distribution de matériel scolaire. Pour que les parents ne soient plus contraints de confier leurs enfants à ceux qui les exploitent, il faut aussi agir pour augmenter les revenus des adultes.

Les enfants ont des droits...

Avoir une alimentation suffisante et équilibrée

Être protégés des maladies et soignés

Avoir une famille, être entourés et aimés

Avoir un nom et une nationalité

Aller à l'école

Pouvoir jouer, danser, chanter

Être écoutés des adultes et pouvoir leur dire non

Ne pas faire la guerre ni la subir

Être protégés de la violence et de l'exploitation

Avoir un refuge, être secourus

**Les adultes doivent
respecter et garantir
les droits de l'enfant.**

La Convention internationale des droits de l'enfant est le traité relatif
aux droits de l'homme le plus largement ratifié de l'histoire (192 États).
Elle a été adoptée à l'unanimité par l'Assemblée générale des Nations Unies
le 20 novembre 1989. En la ratifiant, les États s'engagent à respecter
un code d'obligations contraignantes envers leurs enfants.

**Pour en savoir plus :
www.unicef.fr**

Mise en pages : Concé Forgia
Calligraphie du titre de couverture : Isy Ochoa

ISBN : 978-2-07-061115-7
© Gallimard Jeunesse 2008
Numéro d'édition : 147854
Loi n° 49-956 du 16 juillet 1949
sur les publications destinées à la jeunesse
Dépôt légal : avril 2008
Imprimé en Italie par Zanardi Group